I Betty, sy'n gofalu am bawb (yn enwedig Bili Bach!) ~ S S

I Matt Upsher, ei deulu a'i ffrindiau, ac i bawb a ysbrydolwyd ganddo ~ C P

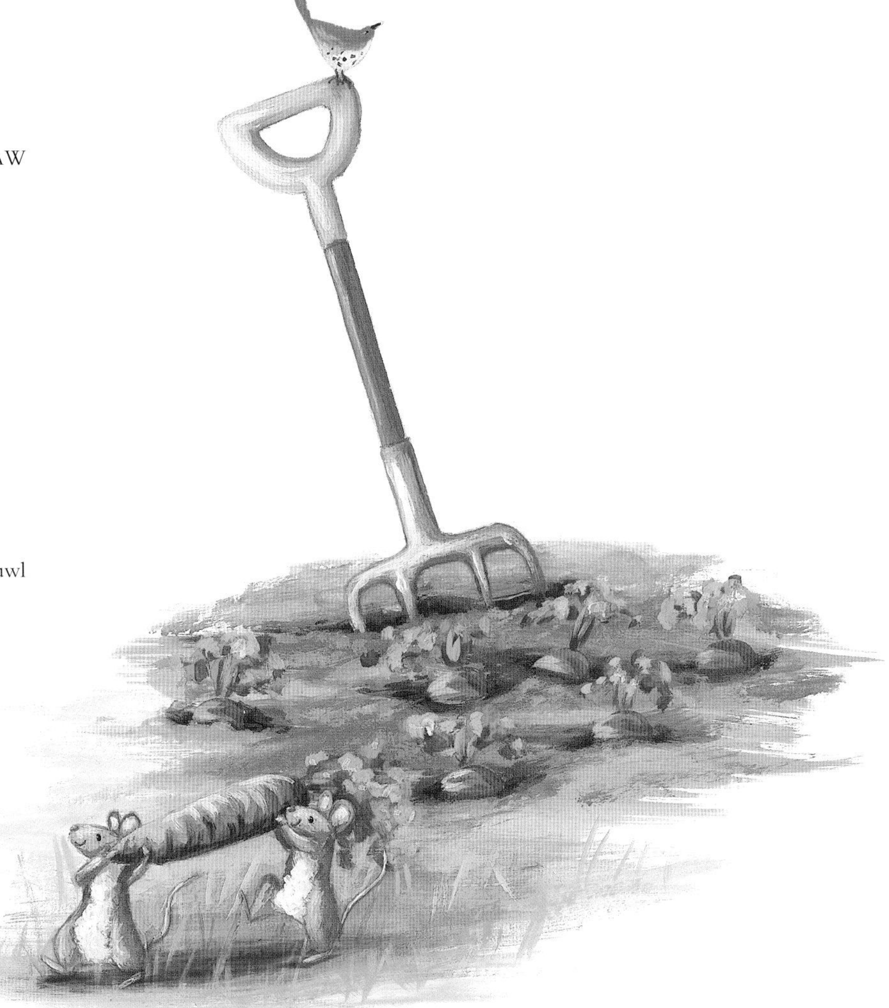

Cyhoeddwyd gyntaf yn 2011 gan
Little Tiger Press, argraffnod Magi Publications,
1 The Coda Centre, 189 Munster Road, Llundain SW6 6AW
www.littletigerpress.com

Teitl gwreiddiol: *Who's Afraid of the Big Bad Bunny?*

Cyhoeddwyd yn Gymraeg yn 2011 gan
Wasg Gomer, Llandysul, Ceredigion SA44 4JL
www.gomer.co.uk

ISBN 978 1 84851 371 6

Dymuna'r cyhoeddwyr gydnabod cymorth
Adrannau Cyngor Llyfrau Cymru.

Argraffwyd yn China.

Paid bod mor gas, Bwni Mawr!

Steve Smallman

Caroline Pedler

Addasiad Helen Emanuel Davies

Gomer

'Dw i'n llwgu!' meddai Bili Bwni, y gwningen fach.

'Dw i'n llwgu'n **ofnadwy**!' meddai Beni Bwni, y gwningen fwy.

'Dw i'n llwgu'n **ofnadwy iawn**!' meddai Barti Bwni, y gwningen fwyaf.

'Wel, mae'n rhaid i rywun fynd i'r cae llysiau i nôl moron achos does dim ar ôl!' meddai Beti Bwni, y gwningen bitw bwt.

'Fe af fi!' meddai Bili Bwni. Ac i ffwrdd ag e.

Cododd Bili Bwni un foronen fawr felys
ond yn sydyn allan neidiodd . . .

Bwni
Mawr,
yr hen
Fwli
Cas!

Dyma fe'n **gwthio**
Bili druan ar ei ben-ôl bach
ac yn **cipio'r** foronen.

‘Alli di ddim cael y foronen yma!’

gwaeddodd.

‘Pam?’ gwichiodd Bili Bwni.

‘Achos rwyt ti’n **dwp** iawn, iawn!’ rhuodd

Bwni Mawr, yr hen Fwli Cas.

‘Ac os wyt ti’n dweud wrth rywun

mod i wedi dwyn dy foronen di,

fe wna i dy wasgu di’n fflat!’

Druan â Bili Bwni! Aeth adre i dwll y cwningod heb ddim moron.

'Pam nad wyt ti wedi dod â moron i ni?' gofynnodd ei frodyr a'i chwaer.

'Achos dw i'n rhy dwp,' meddai Bili Bwni mewn llais bach iawn.

'Na, dwyt ti ddim! Pwy ddwedodd hynna?' gofynnon nhw.

Ond wnâi Bili druan
ddim dweud.

'Peidiwch â phoeni!'
meddai Beni Bwni.
'Fe af fi i nôl moron i ni!'
Ac i ffwrdd ag e.

Cododd Beni Bwni
ddwy foronen felys
ond yn sydyn . . .
allan neidiodd **Bwni Mawr**, yr hen **Fwli Cas.**

Dyma fe'n **gwthio** Beni Bwni druan i'r llawr ac yn **cipio'r** moron.

'Alli di ddim cael y moron yma!' gwaeddodd.

'Pam?' gwichiodd Beni Bwni.

'Achos rwyt ti'n **hyll** iawn, iawn! Ac os wyt ti'n dweud wrth rywun mod i wedi dwyn dy foron di, fe wna i dy wasgu di'n fflat!'

Druan â Beni Bwni! Aeth yn ôl adre heb ddim moron.

'Pam nad wyt ti wedi dod â moron i ni?' gofynnodd Barti a Beti.

'Achos dw i'n rhy hyll,' meddai Beni Bwni mewn llais bach iawn.

'Na, dwyt ti ddim! Pwy ddwedodd hynna?' gofynnon nhw.

Ond wnâi Beni druan ddim dweud.

'Peidiwch â phoeni!' meddai Barti Bwni. 'Fe af fi i nôl moron i ni!'

Ac i ffwrdd ag e.

Cododd Barti Bwni
dair moronen felys ond
yn sydyn . . .

allan neidiodd
Bwni
Mawr,
yr hen
Fwli Cas.

'Alli di ddim cael
y moron yna!'
gwaeddodd.

'P... p... pam?'
gwichiodd
Barti Bwni.

'Achos rwyt ti'n
dew iawn, iawn
ac yn **crynu** fel jeli.
Ac os wyt ti'n dweud wrth rywun
mod i wedi dwyn dy foron di,
fe wna i dy wasgu
di'n **fflat!**'

Druan â Barti Bwni! Aeth yn ôl adre heb ddim moron.

'Pam nad wyt **ti** wedi dod â moron i ni **chwaith**?' gofynnodd Beti.

'Achos dw i'n rhy dew ac yn crynu fel jeli,' meddai Barti Bwni mewn llais bach iawn.

'Na, dwyt ti ddim! Pwy ddwedodd hynna?' gofynnodd Beti.

Ond wnâi Barti Bwni ddim dweud.

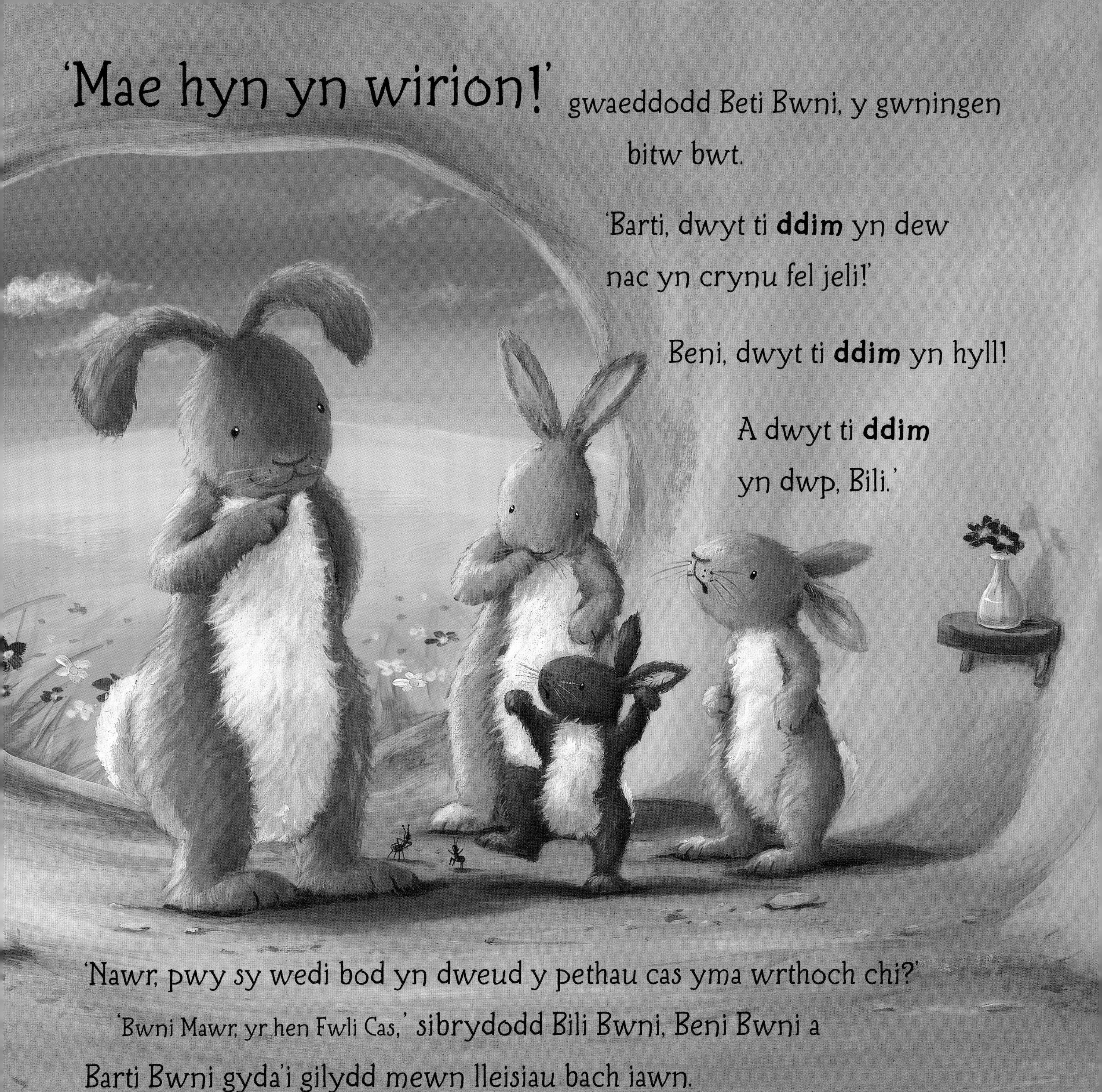

'Mae hyn yn wirion!' gwaeddodd Beti Bwni, y gwningen bitw bwt.

'Barti, dwyt ti **ddim** yn dew nac yn crynu fel jeli!'

Beni, dwyt ti **ddim** yn hyll!

A dwyt ti **ddim** yn dwp, Bili.'

'Nawr, pwy sy wedi bod yn dweud y pethau cas yma wrthoch chi?'

'Bwni Mawr, yr hen Fwli Cas,' sibrydodd Bili Bwni, Beni Bwni a Barti Bwni gyda'i gilydd mewn lleisiau bach iawn.

'Wel, pam na ddwedoch chi?' meddai Beti. 'Gyda'n gilydd fe allwn ni guro unrhyw fwli cas!'

Aeth Beti Bwni, y gwningen bitw bwt, a'i brodyr i gyd i'r cae llysiau i godi moron. Roedd Bili, Beni a Barti'n nerfus iawn ond yn gyflym iawn dyma nhw'n codi

pentwr
mawr o
foron.

Ond allan neidiodd …

...Bwni **Mawr**, yr hen **Fwli Cas!**

'Alli di ddim cael y moron yna!'

gwaeddodd wrth Beti.

'Pam?'

gofynnodd Beti.

'Achos dwyt ti'n ddim ond merch dwp,

hyll, fawr, dew, sy'n crynu fel jeli!'

rhuodd Bwni Mawr, yr hen Fwli Cas.

'Na, dw i ddim,'
meddai'r gwningen fach.
'Ond dyna wyt **ti**!'

'N... na, dw i ddim!'
llefodd Bwni Mawr, yr hen Fwli Cas.
'Rho'r moron
yna i fi...
ar unwaith!'

Yna gwaeddodd Beti, Bili, Beni a Barti

i gyd gyda'i gilydd

'NA!'

Cafodd Bwni Mawr, yr hen Fwli Cas, gymaint

o syndod nes iddo syrthio,

ar ei **ben-ôl**
bwni bwli mawr . . .
bwmp!

'Ond dw i'n llwgu!' llefodd Bwni Mawr, yr hen Fwli Cas, er nad oedd e'n teimlo mor fawr erbyn hyn. **'Rhowch y moron i fi!'** cwynodd. **'Ar unwaith!'**

A dyna wnaethon nhw . . .

a'i wasgu'n
fflat!

Ac wyddoch chi, wnaeth e ddim
bod yn gas wrth yr un
gwningen fach, **fyth eto**.